EMG3-0250
合唱楽譜＜合唱 J-POP＞

J-POP
CHORUS PIECE

合唱で歌いたい！合唱 J-POP コーラスピース

混声3部合唱

友～旅立ちの時～

作詞・作曲：北川悠仁　合唱編曲：郷間幹男

JN219788

•••演奏のポイント•••

♪感情を込めて語りかけるように歌うのが、この曲の最大のポイントです。歌詞をよく読み、場面に合った表現で歌いましょう。それぞれの展開で色を変えていくと、より一層活き活きとした合唱ができます。

♪語尾やフレーズの終わりは、歌い切る部分と、余韻を残して歌い収める部分の区別をつけて歌いましょう。自然と強弱が出て、緩急ある演奏に繋がります。

♪中間部分のコーラスはピアノを引きたてるつもりで、あまり主張しすぎないようにしましょう。

♪52～54小節、62～64小節のピアノ伴奏は、合唱を後押しするように盛り上げていきましょう。

＊この商品は、弊社のオリジナルアレンジです。NHK全国学校音楽コンクール課題曲の合唱アレンジとは異なります。
また、旧商品『友～旅立ちの時～〔混声3部合唱〕』（品番：EMG3-0101、EME-C3100）とアレンジ内容に変更はありません。

ELEVATO
MUSIC ENTERTAINMENT

友～旅立ちの時～

作詞・作曲：北川悠仁　合唱編曲：郷間幹男

© 2013 by NHK Publishing,Inc. & SENHA & SONS & T's MUSIC PUBLISHING CO., LTD. & TOY'S FACTORY MUSIC

10
どん なー い ろに　み えて いま すかー　とも ー　ぼくたちにー　で きる こーーとはー
p
Hum.
p
Hum.
G7 Cm A♭ B♭ E♭ Gm7 A♭ E♭
14
かぎ りー あ るかも　し れな い けれ ど　たし
Uh
mp
Uh　たし
G7 Cm A♭ B♭ E♭ E♭7
18 B
かな こたえ なーんて　なに ひと つない たーびさ　こ ころ ゆれて　まよう と ーきもー　ため
mp
こ ころ ゆれて　まよう と ーきも ー　ため
かな こたえ なーんて　なに ひと つない たーびさ　ゆ れ て　Uh　ため
B
A♭ B♭ Gm7 Cm Fm7 B♭ E♭
mp

22
らう きもち それでも ささ えて くれる こーえが き づけば いつもそば に
らう きもち それでも ささ えて くれる こーえが きづけば いつもそば に
らう きもち それでも ささ えて くれる こーえが き づけば いつもそば に
A♭ B♭ Gm7 Cm7 D♭ B♭sus4
26
C
mp
ー Lu lu lu lu lu lu Lu lu lu
mp
ー Lu lu lu lu lu lu Lu lu
mf
ー ともー すすむべきー みちの さーーきにー どんなーことが ま
B♭ C E♭ Gm7 A♭ E♭ G Cm
mf
30
lu lu Lu lu
mf
lu lu ともー このうたをー おもい だーーしてー ぼく らー を つなぐ
mp
ーっていー てもー Lu lu lu lu lu lu lu lu lu lu
A♭ B♭ E♭ Gm7 A♭ E♭ G7 Cm

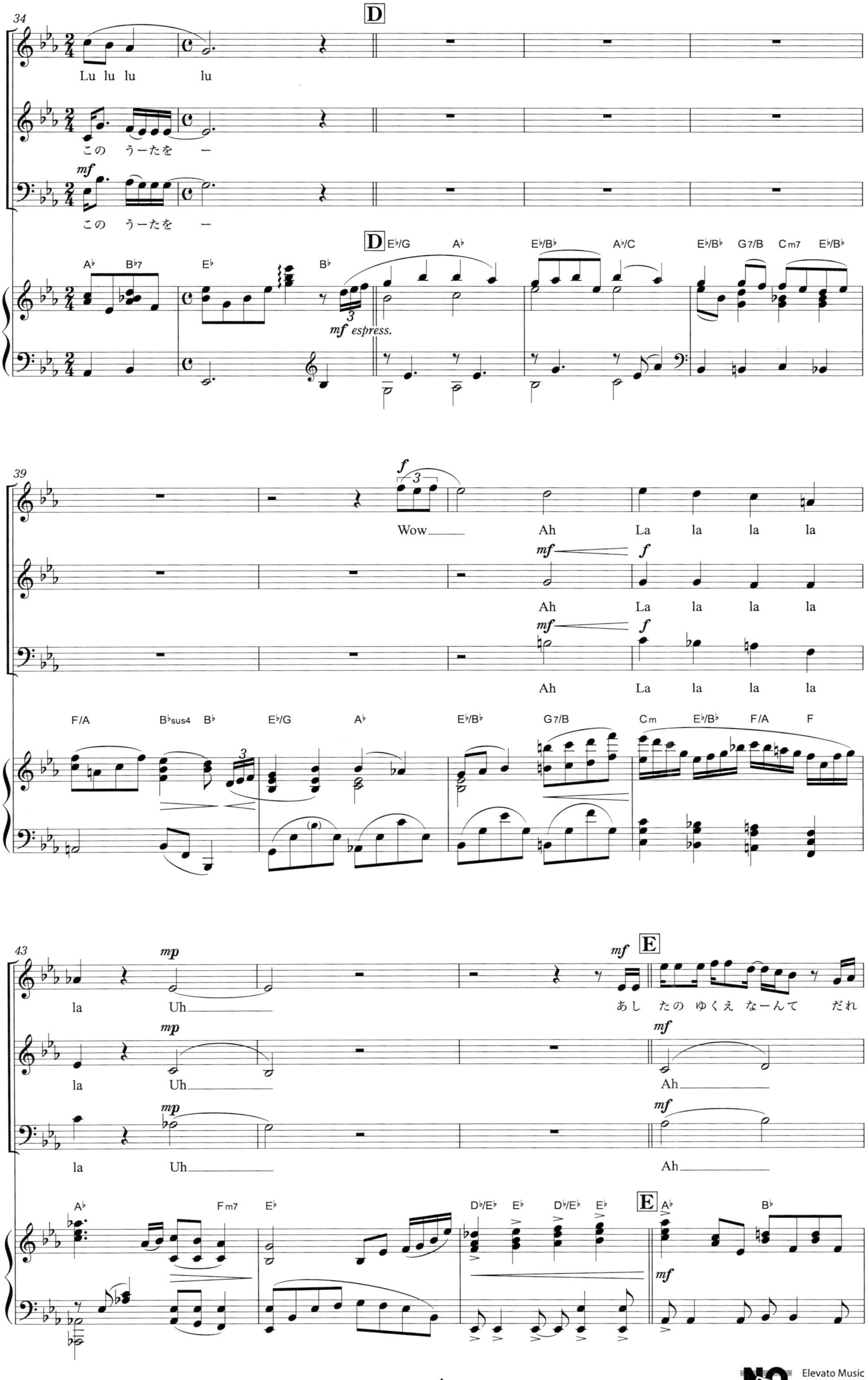
34
D
Lu lu lu lu
この うーたを ー
mf
この うーたを ー
D E♭/G A♭ E♭/B♭ A♭/C E♭/B♭ G7/B Cm7 E♭/B♭
A♭ B♭7 E♭ B♭
mf espress.
39
f
Wow Ah La la la la
mf f
Ah La la la la
mf f
Ah La la la la
F/A B♭sus4 B♭ E♭/G A♭ E♭/B♭ G7/B Cm E♭/B♭ F/A F
43
mp mf E
la Uh あし たの ゆくえ なーんて だれ
mp mf
la Uh Ah
mp mf
la Uh Ah
A♭ Fm7 E♭ D♭/E♭ E♭ D♭/E♭ E♭ E A♭ B♭
mf

Elevato Music
EMG3-0250

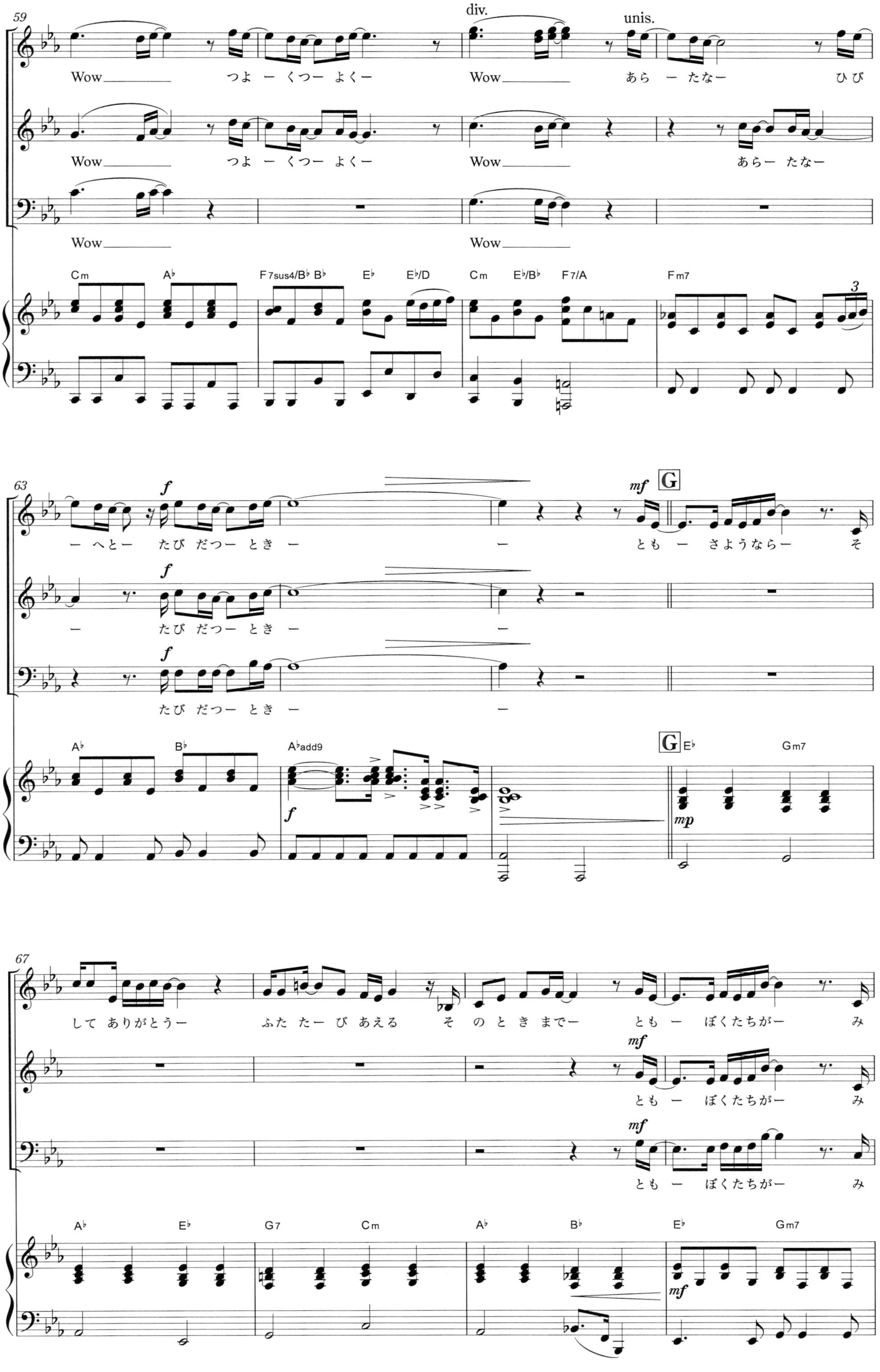
59
div.
unis.
Wow つよ ー くつー よくー Wow あら ー たなー ひび
Wow つよ ー くつー よくー Wow あらー たなー
Wow Wow
Cm A♭ F7sus4/B♭ B♭ E♭ E♭/D Cm E♭/B♭ F7/A Fm7
63
f
mf
G
ー へとー たび だつー とき ー ー とも ー さようならー そ
ー たび だつー とき ー ー
たび だつー とき ー ー
A♭ B♭ A♭add9 G E♭ Gm7
mp
67
して ありがとうー ふた たー び あえる そ の と き までー とも ー ぼくたちがー み
とも ー ぼくたちがー み
とも ー ぼくたちがー み
A♭ E♭ G7 Cm A♭ B♭ E♭ Gm7

71
あげ るそーらはー
どこ まー で もつづきー か がや い てるー
おな じー そ らのしたー
あげ るそーらはー
どこ まー で もつづきー か がや い てるー
おな じー そ らのしたー
あげ るそーらはー
どこ まー で もつづきー か がや い てるー
A♭ E♭ G7 Cm A♭ B♭ E♭ G Cm
75
H
ー ど こ かでー ー い つも つながっ て いる ー
ー ど こ かでー ー い つも つながっ て いる ー
ぼ く た ち は ー つながっ て いる ー
Cm/B♭ A♭ A♭m B♭9sus4
H E♭/G A♭
mp
79
p
Hum.
p
Hum.
p
Hum.
E♭/B♭ A♭/C E♭/B♭ G7/B Cm7 E♭/B♭ F/A B♭sus4 B♭ A♭ Fm7 E♭add9
p

友〜旅立ちの時〜

作詞：北川悠仁

友　今君が見上げる空は　どんな色に見えていますか？
友　僕たちに出来ることは　限りあるかも知れないけれど

確かな答えなんて何一つ無い旅さ　心揺れて迷う時も
ためらう気持ちそれでも　支えてくれる声が
気付けば　いつもそばに

友　進むべき道の先に　どんなことが待っていても
友　この歌を思い出して　僕らを繋ぐこの歌を

明日の行方なんて誰にも分からないさ　風に揺れる花のように
確かめ合えたあの日の　約束胸に信じて
未来へ　歩いてゆくよ

Wow　遠く　遠く
Wow　終わらない夢
Wow　強く　強く
Wow　新たな日々へと旅立つ時

友　さようならそしてありがとう　再び会えるその時まで
友　僕たちが見上げる空は　どこまでも続き　輝いてる
同じ空の下　どこかで僕たちは　いつも繋がっている

ELEVATO
MUSIC ENTERTAINMENT

エレヴァートミュージックエンターテイメントはウィンズスコアが
展開する「合唱楽譜・器楽系楽譜」を中心とした専門レーベルです。

ご注文について

エレヴァートミュージックエンターテイメントの商品は全国の楽器店、ならびに書店にてお求めになれますが、店頭でのご購入が困難な場合、当社WEBサイト・電話からのご注文で、直接ご購入が可能です。

◎当社WEBサイトでのご注文方法

elevato-music.com

上記のURLへアクセスし、オンラインショップにてご注文ください。

◎お電話でのご注文方法

TEL.0120-713-771

営業時間内に電話いただければ、電話にてご注文を承ります。

※この出版物の全部または一部を権利者に無断で複製（コピー）することは、著作権の侵害にあたり、著作権法により罰せられます。

※造本には十分注意しておりますが、万一、落丁・乱丁などの不良品がありましたらお取り替えいたします。
また、ご意見・ご感想もホームページより受け付けておりますので、お気軽にお問い合わせください。

LOVE THE ORIGINAL
楽譜のコピーはやめましょう